D1061592

# O livro do brigadeiro

*Juliana Motter*

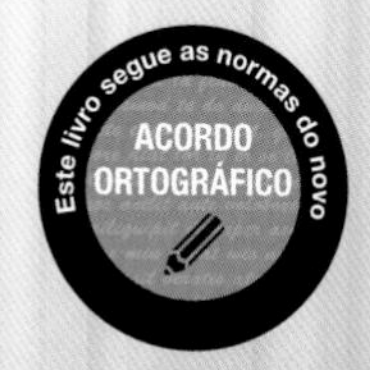

DIRETOR EDITORIAL Marcelo Duarte
COORDENADORA EDITORIAL Tatiana Fulas
ASSISTENTE EDITORIAL Karina Danza
PROJETO GRÁFICO E DIAGRAMAÇÃO Luciana Porto Alegre Steckel
FOTO DA CAPA Alex Silva
PRODUÇÃO DE IMAGENS Andréa Silva
Inah Ramos
TRATAMENTO DE IMAGENS Bruno Lozich
PREPARAÇÃO Rita Narciso Kawamata
REVISÃO Carmen Costa
Telma Baeza G. Dias

CIP - BRASIL. CATALOGAÇÃO NA FONTE
SINDICATO NACIONAL DOS EDITORES DE LIVROS, RJ

M876l

Motter, Juliana
O livro do brigadeiro / Juliana Motter. - São Paulo: Panda Books, 2010. 96 pp.

ISBN 978-85-7888-043-9

1. Culinária (Açúcar). 2. Doces e balas de chocolate. I. Título.

10-0387. CDD: 641.853
CDU: 641.85

2010

Panda Books
Um selo da Editora Original Ltda.
Rua Henrique Schaumann, 286, cj. 41 - 05413-010 - São Paulo - SP
Tel./Fax: (11) 2628-1323
edoriginal@pandabooks.com.br
www.pandabooks.com.br

*Agradeço aos santos Benedito (dos cozinheiros), Expedito (das causas urgentes), Cosme e Damião (das crianças).*

*Ofereço este livro, cheio de brigadeiros fresquinhos, primeiro à minha mãe, Lourdinha, que me queria mais escritora do que doceira. Depois passo a bandeja ao meu pai, Ottoni, que abriu as forminhas mais importantes da minha vida. Em seguida, sirvo os docinhos ao meu irmão, Marcelo, com quem sempre dividi as raspas de panela dos brigadeiros da infância. E finalmente ao Caio Mariano, com quem tenho dividido boa parte delas.*

# Sumário

Vote no

# brigadeiro,

que é bonito
e é solteiro

Nunca gostei de política, mas se tivesse vivido na década de 1940, teria votado feliz em um brigadeiro de nome Eduardo Gomes. Curiosamente, foi esse homem esguio e centrado, com jeito de que nunca consolou uma dor de amor numa panela de brigadeiro quente, que condecorou com a distinta patente de brigadeiro um docinho de chocolate até então desconhecido, que perdia em popularidade até para o insosso olho de sogra.

A história, ouvi quando pequena, contada com sotaque mineiro pela minha avó Ignês, que era doceira. "O brigadeiro, minha filha, queria ser presidente do Brasil." No meu juízo de cinco pra seis anos, aquilo fazia muito sentido, afinal brigadeiro era meu doce favorito, nada mais justo do que ocupar o cargo mais importante do mundo. Só depois, já bem crescida, é que fui saber que brigadeiro, antes de ser doce, era uma medalha no peito de um homem que pilota aviões do governo, e que presidente do Brasil não era o cargo mais importante do mundo.

Alheia às minhas divagações de infância, ela contava orgulhosa a saga do brigadeiro, o doce, enquanto dava conta de tachos cheios de doce de leite, que borbulhavam feito lava sobre a lenha do fogão. "Todos queriam estar nas festas de campanha de seu Eduardo Gomes porque ali circulava um tal docinho misterioso, feito de chocolate e coberto por uma fininha camada de açúcar, que já fazia fama no Rio de Janeiro. Nome de batismo o doce não tinha; por isso, acabou virando brigadeiro, em homenagem ao seu Eduardo."

Ouvi tantas vezes a história, que passei a imaginar o brigadeiro como um homem realmente belo. Mais velha, pelo Google, descobri que Eduardo Gomes parecia com meu tio Geraldo: franzino, usava óculos e tinha bem menos cabelos do que na minha imaginação. Mesmo assim, consta que fez um sucesso retumbante entre as mulheres. Seu *slogan* de campanha mais parecia anúncio de agência de casamento: "Vote no Brigadeiro, que é bonito e é solteiro".

Bonito ou solteiro, não importa. O homem praticamente inventou o brigadeiro. Quer melhor plano de governo para fazer felizes as moças do Brasil? O problema é que faltou organização das eleitoras chocólatras e o pobre perdeu feio as eleições. Mas nos deixou de consolo o brigadeiro, esse doce tão generoso que cura qualquer mal de alma. Político bom assim não se vê mais. Não é mesmo, vó?

## Em terra de cego...

*O mote de campanha de Eduardo Gomes faz muito sentido se considerarmos o cenário político da época: ele disputou as eleições presidenciais de 1945 com Eurico Gaspar Dutra e Getúlio Vargas, que, digamos, não tinham propriamente a beleza física entre seus principais atributos.*

## A versão oficial (ou quase...)

*O brigadeiro, o doce, ficou conhecido mesmo em 1945, durante a campanha do brigadeiro Eduardo Gomes pelas eleições presidenciais. O docinho de chocolate, até então quase anônimo, era preparado pelas eleitoras mais prendadas do político e servido nas festas de campanha como sendo "o preferido do brigadeiro". De tanto ser apresentado desse modo, o docinho, que não tinha nome, passou a ser chamado de "brigadeiro".*

## Negrinho

*Diz a lenda que, antes de se chamar brigadeiro, o docinho de leite condensado, chocolate, manteiga e gemas tinha outro nome: negrinho. Tudo indica que ele teria sido inventado no Rio Grande do Sul, possivelmente por uma dona de casa muito loira que achou exótica a cútis marronzinha do doce. Os gaúchos, ao que parece, não fizeram muita festa para o chocólatra Eduardo Gomes. O Rio Grande do Sul é o único estado do Brasil que ainda chama brigadeiro de negrinho. Por enquanto, até que eles inventem algum termo mais polido, como, sei lá, afro-americaninho...*

# É coisa nossa!

Brigadeiro só existe no Brasil. É uma instituição nacional, assim como o futebol, a caipirinha e o carnaval. Quem, estando fora do país por um longo período, nunca teve uma crise de abstinência de brigadeiro, daquelas que nos fazem visitar supermercados em vez de museus, em busca de ingredientes para um brigadeiro de panela? Esses apegos culinários são tão frequentes que, certa vez, quando fui interceptada no aeroporto de posse de vinte latas de leite condensado (para me abastecer de brigadeiro numa pequena temporada nos Estados Unidos), o funcionário que as confiscou comentou, com um certo inconformismo, que uma em cada dez malas que saem dos aeroportos rumo ao exterior leva escondida uma lata de leite condensado. E aposto que é para fazer brigadeiro! Alguém duvida?

Não era uma data especial. Corri até a cozinha, escolhi a panela mais brilhante do armário, encostei uma cadeira no fogão e fui misturando porções generosas de leite condensado, chocolate em pó, gemas e manteiga, como aprendi com a minha avó. Mexi aquela massa quente de chocolate bem devagarzinho, como se fizesse um carinho no doce, até ele desgrudar do fundo da panela. Mal podia acreditar que saía ali, aos seis anos, meu primeiro brigadeiro! Comi tudo tão feliz que nem pensei nas chineladas que ia levar quando minha mãe chegasse do trabalho.

## Brigadeiro tradicional

· Receita da minha avó Ignês ·

Minha avó Ignês em sua casa, em Franca (SP).

*NOTA: Minha avó produzia um leite condensado artesanal, tirando uma parte da mistura do leite cozido com açúcar na primeira fase do doce de leite caseiro que ela fazia para vender. Como ninguém na família tinha lá muita disposição para fazer doce de leite, e transformá-lo em brigadeiro, ela criou uma versão facilitada da receita, que leva leite condensado cozido na pressão (que, acredite, transforma-se em um delicioso doce de leite) para servir de base para o brigadeiro.*

### INGREDIENTES

- 1 lata de leite condensado
- 3 gemas de ovo caipira
- 1 colher (sopa) de manteiga extra
- 3 colheres (sopa) de chocolate em pó
- Raspas de um bom chocolate para confeitar

### MODO DE FAZER

Coloque água para ferver em uma panela e cozinhe ali uma lata (fechada) de leite condensado por 30 minutos. Espere esfriar um pouco (o conteúdo fica quentíssimo), abra a lata e despeje seu conteúdo em outra panela, com as gemas, a manteiga e o chocolate em pó. Misture bem, leve ao fogo e mexa sem parar até formar uma bola (sim, minha avó escreveu "bola"). Quando estiver frio, faça bolinhas com essa massa, passando-as, em seguida, em raspas de chocolate.

## Longa vida ao leite condensado

*O brigadeiro é mesmo um doce de sorte. Ele só existe graças ao leite condensado, que virou ingrediente da culinária por acaso. Antes de se tornar guloseima, o leite condensado era alimento sério: foi leite longa vida - o primeiro da história. Era um leite concentrado já adoçado (para ser diluído em água), criado para suprir a escassez de leite fresco durante alguns períodos da história. Normalizada a situação, os fabricantes de leite condensado tiveram que inventar um novo uso para o produto, que passou a ser empregado no preparo de doces. O marketing deu tão certo por aqui que o Brasil se tornou o país que mais consome leite condensado no mundo: são 7 mil toneladas por mês, uma boa parte transformada em brigadeiro.*

## Com ou sem ovo?

*As primeiras receitas de brigadeiro levavam de uma a três gemas de ovo. A prática, adotada quase que por intuição, por nossas avós, revela-se bastante sábia do ponto de vista culinário. A gema contém gordura, que é emulsificante, ou seja, garante aquela textura cremosa dos cremes e massas benfeitos. Ela tem ainda outra função: é coagulante, ou seja, dá firmeza à massa, o que no brigadeiro contribui para dar o ponto mais rápido. O ovo foi parar na receita muito provavelmente por influência portuguesa, cuja doçaria não existiria sem as galinhas. A subversão lusitana de botar ovo no brigadeiro não durou muito, e o doce resistiu como um dos poucos genuinamente brasileiros, já que a grande maioria é herança das mesas de Portugal.*

“Você quer
ter razão ou
*ser feliz?”*

"Mas, minha filha, onde é que já se viu largar uma carreira de jornalista para fazer brigadeiro para fora?". Essa foi a pergunta de meu pai quando anunciei que deixaria o cargo de editora de comportamento de uma revista feminina para botar um avental de bolinhas e fazer brigadeiro em casa. Minha mãe, acadêmica convicta, também achou aquilo uma deserção. Depois de tanto estudo, queria me ver escritora; cozinheira jamais.

Podia não fazer muito sentido, é verdade, mas descobri, numa aula de filosofia, que coerência demais nem sempre é bom. "Você quer ter razão ou ser feliz?", questionou o professor, quando eu ainda estava no primeiro ano de jornalismo. Respondi à pergunta dez anos depois, vibrando em silêncio, quando entreguei minha primeira encomenda de brigadeiros: "Quero ser feliz".

# A primeira encomenda

Brigadeiro sempre foi meu doce favorito, e saber os segredos da sua receita com menos de dez anos de idade era como ter superpoderes na cozinha. Envaidecida com o suposto dom, sempre carregava uma bandeja dos meus brigadeiros para as festas de aniversário de parentes e amigos. Meus docinhos eram sempre macios e derretiam na boca, de tanto chocolate que eu punha na receita. Gostava também de inovar nos sabores. Misturar creme de avelã, raspinhas de limão ou pedaços de chocolate branco na massa, criando novas versões de brigadeiro.

Certa vez, numa festa, me perguntaram se eu fazia brigadeiros para vender, e eu disse que não, explicando que era jornalista. Para a quinta pessoa que perguntou, foi meu inconsciente quem respondeu. Decidido, ele disse que "sim", que eu fazia brigadeiro para fora, e, sem que a mulher pedisse, foi logo dando o número do meu celular.

No dia seguinte, o telefone tocou bem cedo. Era fechamento de edição da revista feminina na qual eu trabalhava, e eu já estava na redação, editando, sonolenta, um texto sobre como conquistar um homem em 32 passos rápidos. Do outro lado da linha, uma voz animadíssima identificou-se como a tal convidada da festa da noite anterior, encomendando mil brigadeiros para o lançamento de um livro infantil. Mil brigadeiros? Dei um pulo da cadeira que fez minha chefe lançar o pior dos seus olhares na minha direção. Mastigando as palavras para ninguém ouvir, fui logo dizendo que era impossí... quando

meu inconsciente rapidamente me interrompeu: "Claro, senhora, está confirmado. Ligo mais tarde para passar os detalhes". Um mês depois, já não dava conta de tantos pedidos, e antes mesmo de alcançar o trigésimo segundo passo da matéria sobre conquista, pedi demissão da revista e abri a Maria Brigadeiro, uma doceria só de brigadeiros, com mais de quarenta sabores do doce. Ah, "Maria Brigadeiro" era meu apelido de infância.

## Parabéns pra você...

*Bolo e brigadeiro são comidinhas que não podem faltar em festas de aniversário. Em vez de dar um vinho (que a gente sempre fica na dúvida sobre qual rótulo escolher) ou bombons (que são tão pessoais como flores), eu costumava chegar nas festas dos amigos com uma bandeja cheia de brigadeiros fresquinhos, recém-confeitados, embalados para presente em uma larga fita de cetim. Foi assim que ganhei o apelido de Maria Brigadeiro. O presente é bacana porque é coletivo, ou seja, todos os convidados acabam comendo.*

DICA MARIA BRIGADEIRO

*Os amigos do seu bebê não precisam esperar que ele complete um ano para comer brigadeiro. Por que não usar o doce – em uma embalagem festiva, claro – como lembrancinha ou apenas para adoçar a visita? Afinal, o nascimento é uma festa, não?*

# Bolo brigadeiro

• Rende 8 porções •

Dica Maria Brigadeiro

*Brigadeiro é muito versátil, combina com tudo. Experimente adicioná-lo em suas receitas favoritas, substituindo o chocolate.*

**INGREDIENTES**

- 2 xícaras (chá) de farinha de trigo
- 2 xícaras (chá) de açúcar
- 1 xícara (chá) de chocolate em pó
- 1 colher (sopa) de fermento em pó
- 1 pitada de sal
- 3 ovos
- 1 xícara (chá) de manteiga sem sal
- 1 xícara (chá) de água fervente

**INGREDIENTES DA COBERTURA**

- 2 receitas de brigadeiro (preparadas conforme as instruções da página 36)
- Raspas de chocolate (para confeitar)
- 1 lata de creme de leite

**MODO DE FAZER**

Em uma vasilha grande, de metal ou louça, coloque os ingredientes secos do bolo: a farinha de trigo, o açúcar, o chocolate em pó, o fermento em pó e o sal. Faça um buraco no meio e junte os ingredientes líquidos (ou quase): os ovos, a manteiga derretida e a água. Bata imediatamente na batedeira (para não cozinhar os ovos) até a massa ficar bem homogênea (aproximadamente 5 minutos, na velocidade máxima). Despeje-a em uma forma untada com manteiga e enfarinhada, assando em forno médio (180 graus), preaquecido, por 35 minutos ou até que o bolo esteja assado. Teste com o palito. Prepare a cobertura: faça o brigadeiro e, quando estiver no ponto, acrescente a lata de creme de leite e continue mexendo por mais 5 minutos. Apague o fogo. Corte a massa do bolo ao meio, no sentido horizontal, recheie e cubra com o brigadeiro morno e decore com as raspas de chocolate.

## Bolo em festa

*A tradição do bolo de aniversário começou há mais ou menos cinco mil anos. Consta que todo dia 6 os gregos faziam uma festa para reverenciar Ártemis, a deusa da caça. Durante essas celebrações pagãs, velas eram colocadas sobre uma torta redonda, que simbolizava a lua cheia, que, segundo a mitologia, era a forma pela qual a deusa se expressava. Na Idade Média, os alemães retomaram esse hábito nos aniversários de criança, e a tradição dura até hoje. Com o tempo, outros docinhos também passaram a fazer parte da festa, como é o caso do brigadeiro no Brasil.*

# Brigadeiro gourmet

## DO POPULAR AO REQUINTADO

O brigadeiro é um dos doces mais consumidos no Brasil. E, apesar da enorme popularidade, sempre foi considerado um docinho de festa de criança. Como dizem que gente pequena não tem lá muito paladar, a receita nunca foi valorizada a ponto de ocupar a mesa em outras ocasiões além de aniversários e reuniões informais (crises de TPM não contam, porque a gente geralmente come tudo na panela).

Estigmatizado como um doce popular, o brigadeiro ficou restrito às panelas domésticas e não teve, digamos, o mesmo *upgrade* dos docinhos da moda. A trufa de chocolate, por exemplo. Ela desembarcou da Europa num calor senegalês de 35 graus Celsius e foi recebida por aqui como a celebridade dos doces. Mal a fofa chegou e já estava desfilando pomposa em bandejas de prata, nas mais elegantes festas (de casamento, inclusive). O *macarron*, suspiro francês empertigado, teve a mesma recepção honrosa. Repare, está em todas as mesas de festa. Já o brigadeiro, que nasceu e se criou neste país, sempre se acomodou como pôde, em desajeitadas bandejas de papelão que nunca foram além dos limites das festas infantis.

Talvez isso explique o fato de a receita ter perdido qualidade com o passar dos anos. Chocolate em pó e manteiga, por exemplo, que não podiam faltar em um bom brigadeiro, passaram a ser interpretados, em muitas receitas, como sinônimos de achocolatado (um preparado com pouquíssimo chocolate) e margarina. O resultado é aquela eterna sensação de que o brigadeiro da infância era infinitamente melhor. E, acredite, era!

Para salvar a pátria, o brigadeiro *gourmet*. O brigadeiro *gourmet* é uma reinvenção do brigadeiro clássico que leva só os melhores ingredientes. Em vez de achocolatado, um bom chocolate, de preferência importado. No lugar da margarina entra a manteiga, que é rica em leite e tem sabor incomparável. Para ter sobrenome *gourmet*, o brigadeiro também deve ter uma boa apresentação, que permita a ele circular com desenvoltura em qualquer ambiente.

# Eu só quero chocolate

Nem adianta vir com achocolatado; brigadeiro, para ser bom, tem que ter chocolate de verdade, e com uma boa porcentagem de cacau: 32%, pelo menos. Apesar do nome sugestivo, alguns achocolatados vendidos no mercado têm pouquíssimo chocolate em sua fórmula. A conta é sempre a seguinte: se tem 32% de cacau, significa que os 68% restantes são de açúcar. Quanto mais cacau, melhor. Fique atento ao rótulo da sua marca favorita.

***Graduações de cacau mais comuns***

| *Tipo de chocolate* | *Quantidade de cacau* |
|---|---|
| Chocolate amargo (*bittersweet* chocolate) | 70% a 100% |
| Chocolate meio-amargo (semi *sweet* chocolate) | 50% a 69% |
| Chocolate ao leite (*milk* chocolate) | 30% a 49% |
| Chocolate branco (*white* chocolate) | 0% de cacau e 33% de manteiga de cacau |

# Manteiga, por favor

Embora a publicidade tente nos convencer do contrário, margarina não é manteiga. A margarina é um creme vegetal artificial. Já a manteiga é feita basicamente de leite. Simples, né? Mas, acredite, isso muda tudo. Um brigadeiro feito com manteiga tem textura mais aveludada e sabor acentuado de leite, que se harmoniza perfeitamente com o leite condensado - afinal, são parentes. A margarina que me desculpe, mas família é família!

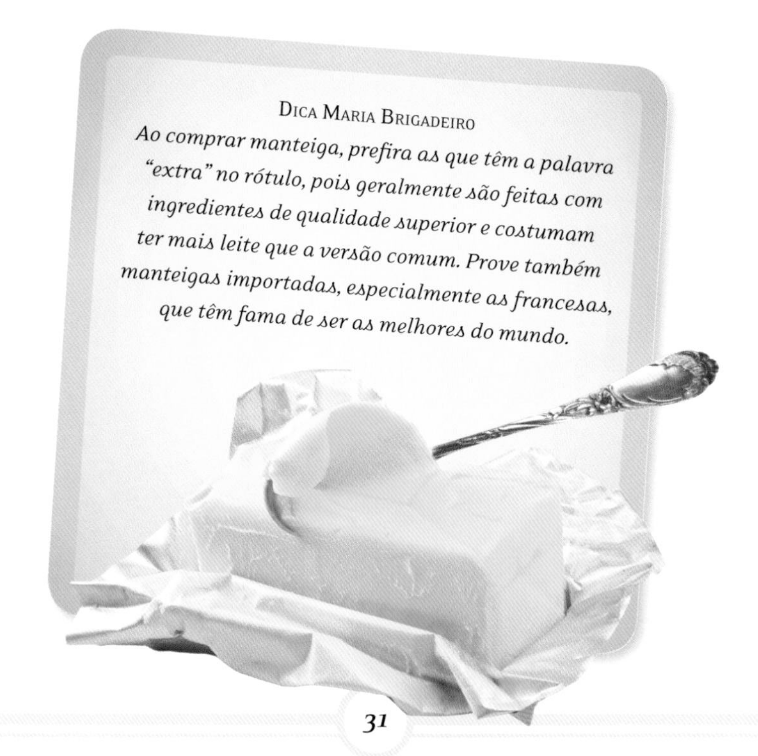

# Granulado, não!

Chocolate granulado é um confeito sabor chocolate. Trocando em miúdos? Não é chocolate. Se na base do brigadeiro você usou a melhor matéria-prima que seu bolso pode pagar, a finalização tem que seguir a mesma lógica; caso contrário, o brigadeiro não será *gourmet*. A dica é usar raspas de um bom chocolate, de preferência o mesmo usado na massa, para intensificar o sabor e conferir personalidade ao doce.

# Raspas de chocolate

*Para fazer raspas de chocolate perfeitas, conheça alguns truques:*

- *Os chocolates hidrogenados, próprios para uso culinário, tendem a ser mais maleáveis, ideais para fazer raspas. O problema é que levam gordura hidrogenada em sua composição, o que compromete textura e sabor. Prefira os que são feitos com manteiga de cacau. Eles são mais difíceis de manusear, mas a qualidade compensa o esforço.*

- *Use o chocolate em temperatura ambiente, evitando colocá-lo na geladeira. Caso contrário, ele vai endurecer e esfarelar com o corte.*

- *Acomode o chocolate em uma tábua de corte (tente reservar uma só para essa finalidade, pois o chocolate absorve sabores e odores facilmente) e vá cortando as lascas com uma faca serrilhada (como a de pão), a partir da quina. Atenção: cortar no sentido do comprimento ficará mais difícil se a barra de chocolate for grande. Quando uma quina acabar, vire a barra e corte outra, e assim sucessivamente.*

- *Armazene as raspas de chocolate em um recipiente hermeticamente fechado e mantenha-o em lugar fresco e abrigado da luz, para não perder o brilho e a textura crocante.*

# Apresentação

Quando foi inventado, o brigadeiro vinha envolto em uma finíssima camada de açúcar. Na minha infância, era coberto com chocolate granulado de supermercado. Na Maria Brigadeiro, decidi que ele merecia uma cobertura mais nobre, que estivesse à altura da sua importância, e com a qual pudesse frequentar as mesmas festas das trufas e *macarrons*. Se ele já fazia sucesso na versão "festa infantil", imagine todo coberto de avelã, pistache ou chocolate 70% cacau? Bem-vindo ao nosso guarda-roupa de confeitos especiais!

| *Clássicos* | |
|---|---|
| Tradicional | Massa de chocolate ao leite com raspas de chocolate ao leite |
| Chocolate branco | Massa de chocolate branco com raspas de chocolate branco |
| Noir (70% cacau) | Massa de chocolate amargo com raspas de chocolate 70% cacau |
| *Castanhas* | |
| Avelã | Massa de chocolate ao leite e gianduia com lâminas de avelã |
| Pistache | Massa de chocolate branco e pistache com lâminas de pistache |
| Amêndoa | Massa de chocolate ao leite com lâminas de amêndoa |
| Castanha de caju | Massa de chocolate ao leite com xerém de castanha de caju |
| Noz-pecã | Massa de chocolate com nozes-pecã |
| Chocolate branco com noz-macadâmia | Massa de chocolate branco com noz-macadâmia |

| | |
|---|---|
| | *Brasileiros* |
| Doce de leite com coco | Massa de doce de leite com lâminas de coco tostadas |
| Café | Massa de chocolate ao leite com café torrado |
| Cachaça | Massa de chocolate ao leite e cachaça artesanal |
| | *Exóticos* |
| Especiarias indianas | Massa de chocolate ao leite e curry, cardamomo, gengibre e canela |
| *Wasabi* | Massa de chocolate ao leite e raiz-forte |
| Gergelim | Massa de chocolate ao leite com gergelim |
| | *Etílicos* |
| Vinho do porto | Massa de chocolate ao leite e vinho do porto |
| | *Vintage* |
| *Vanilla-cookie* | Massa de chocolate branco e gotas de chocolate com farofa crocante de *cookies* |
| Mel | Massa de chocolate ao leite e mel de laranjeira |
| Leite ninho | Massa de leite com farofa de leite |
| Ovomaltine | Massa de chocolate ao leite com ovomaltine |
| | *Fresquinhos* |
| Limão siciliano | Massa de chocolate branco e limão siciliano |
| *After-eight* | Massa de chocolate amargo e menta |

## Brigadeiro tradicional

· Rende 30 brigadeiros ·

**INGREDIENTES**

· 1 lata de leite condensado
· 4 colheres (sopa) de chocolate em pó
  (ou 8 colheres de raspas do seu chocolate favorito)
· 1 colher (sopa) de manteiga extra sem sal
· Raspas de chocolate para confeitar

**MODO DE FAZER**

Abra a lata de leite condensado e despeje na panela. Acrescente o chocolate em pó (ou as raspas de chocolate), misture bem, junte a manteiga e leve ao fogo baixo, mexendo sempre até que a massa desgrude do fundo da panela. Quando estiver no ponto (ver "Atenção: não durma no ponto!"), retire da panela e transfira para um recipiente de louça untado com manteiga. Deixe esfriar, molde as bolinhas, passe-as em raspas de chocolate ao leite ou meio-amargo e acomode-as nas clássicas forminhas de papel plissado.

Atenção:
não durma no
*ponto!*

Ponto de brigadeiro é coisa séria. Você pode até usar chocolate belga, manteiga francesa, leite condensado orgânico e a receita da família real brasileira, mas se ele não sair da panela na hora certa, vira doce de padaria. Ponto. Embora impreciso, o famoso "quando desgrudar do fundo da panela" é o segredo. E o que significa? Vamos começar do começo...

*1. Na panela, mexa a massa sem parar. O braço doerá um pouco, mas vale o esforço, pois queima algumas das calorias que esperam por você no final da receita.*

*2. Nesta etapa (mais ou menos 10 minutos de fogo) a massa vai ganhando cor e consistência. Fica marrom bem escuro e um pouco pesada. O suficiente para você sentir o peso da massa na colher.*

*3. Chegamos ao ponto. A sua massa (cor de chocolate amargo e pesada) começa a desgrudar do fundo da panela, sinal de que ela se transformou em uma massa moldável, base do brigadeiro.*

*4. Desligue o fogo e retire o doce da panela, transferindo-o para um recipiente untado com manteiga.*

*5. Deixe-o descansar quietinho e, quando esfriar, enrole o que sobrou (porque aposto que até lá você já terá comido uma boa parte).*

*6. Para fazer uma bolinha perfeita, passe bastante manteiga (em temperatura ambiente) nas mãos e, com a ajuda de uma colher de café (ou um boleador de frutas untado com manteiga), recolha uma pequena porção de massa, fazendo movimentos circulares até atingir o formato ideal.*

*7. Passe a bolinha no confeito (ou nos confeitos) de sua preferência e sirva em seguida, na bandeja de que você mais gosta.*

# Arsenal do brigadeiro

## ITENS QUE FAZEM A DIFERENÇA

Veja quais utensílios e equipamentos não podem faltar no preparo de um bom brigadeiro.

## A panela

Panela velha, tipo aquela de teflon que foi forçosamente aposentada na casa de praia, não faz brigadeiro bom. Aquela outra, de inox, carcomidinha, que sua mãe tem dó de jogar fora porque é de inox, tampouco é a mais indicada. Se a ideia é ter o melhor brigadeiro, escolha uma panela à altura: pesada, com fundo grosso, lustrosa. Na Maria Brigadeiro, usamos as de ferro fundido (que substituem os antigos tachos de cobre - proibidos pela vigilância sanitária) e as de alumínio, que também têm uma boa distribuição de calor. Se a panela for de material muito fininho, o brigadeiro queima ou fica com aquele gosto de chama de fogão, sabe? Outra dica, quase supersticiosa, é reservar uma panela só para fazer brigadeiro. Conhecendo bem a panela, é mais fácil saber quanto tempo a massa vai ficar no fogo e o ponto certo do brigadeiro. Além disso, a panela vai ficar com um aroma permanente de chocolate. Delícia!

## A colher

Adoro as de pau, mas elas também foram proibidas nas cozinhas industriais. O pior é que ninguém inventou nada melhor para mexer uma massa quente de brigadeiro. O jeito é a contravenção. Aproveite que a vigilância sanitária não visita a sua cozinha e desça a colher de pau no brigadeiro. Com gosto.

## O fogão

Fogo de brigadeiro é baixo, para que a massa não grude no fundo da panela, nem se formem cristais de açúcar. Cuidado com a boca do fogão: a dica é escolher uma conforme o tamanho da panela. Se ela for muito pequena, e a circunferência da chama muito grande, o risco de queimar é grande. Já se for muito pequena, e a panela grande, não haverá uma distribuição de calor suficiente, e o brigadeiro vai ficar muito mais tempo na panela - o que nem sempre é um problema, se você não tiver pressa, no modo *slow-cooking*...

## Paciência

Quando eu era pequena, a coisa que mais me deixava feliz, depois de não ter que ir à escola, era ajudar minha mãe a confeitar brigadeiros em dias de festa. Mergulhava os dedos naquele prato fundo de granulado até cobrir todas as bolinhas de chocolate. E, lá do fogão, ela sempre recomendava: "Nega, não deixe nenhum brigadeiro careca". Até hoje, quando vejo uma pessoa com entradas na cabeça, me dá uma vontade inconsciente de cobrir a falha com granulado.

## O recipiente

Quando tiro o brigadeiro da panela, gosto de transferi-lo para uma vasilha untada com uma boa manteiga. Isso impede que ele continue cozinhando e passe do ponto.

## Micro-ondas, vale?

*Nunca consegui fazer brigadeiro no micro-ondas. Tentei algumas vezes durante crises agudas de TPM, mas o resultado é sempre ainda mais irritante: ele transborda e gruda em todas as partes do forno. Mas se você se entende com a máquina e acha que o sabor fica igual ao do doce feito no fogão, aproveite, pois ela faz dois brigadeiros no tempo de um de panela.*

## Posso congelar brigadeiro?

*Sobrou brigadeiro da festa? Congele. Ele dura até dois meses sob refrigeração. Acomode os docinhos em uma vasilha e tampe. Quando for consumir, é só retirar do freezer com pelo menos uma hora de antecedência para que volte à temperatura ambiente. Claro que não é igual ao brigadeiro fresco, feito na hora, mas quebra o galho. O único inconveniente do brigadeiro congelado é que ele fica mais úmido que o fresco, e o chocolate perde o brilho. Nenhum problema, se for para comer com as amigas numa sessão especial de* Sex and the city.

## Torta Maria Brigadeiro

• Rende 8 porções •

*Nota: Batizada por mim, esta torta é uma das minhas sobremesas favoritas por três motivos: é facílima de fazer, linda (quem vê pensa que levamos hoooras para preparar), e o melhor: tem um monte de brigadeiro.*

**INGREDIENTES**

- 4 receitas de brigadeiro tradicional (preparadas conforme as instruções da página 36)
- 2 pacotes de biscoito de maisena

**MODO DE FAZER**

Para essa torta, você vai precisar de uma forma redonda de mais ou menos 20 cm de diâmetro, com o fundo removível. Eu diria que esse é o utensílio mais importante da receita, caso contrário ela se transforma em uma paçoquinha de brigadeiro, mais conhecida como palha italiana. Providenciada a forma, vamos à massa. Prepare as receitas de brigadeiro tradicional e, quando estiver no ponto, junte os biscoitos de maisena quebradinhos com a mão (não use liquidificador para não triturar demais). Misture bem, na panela mesmo, e transfira a massa para a forma untada com manteiga, sem alisar (quanto mais rústica a torta, mais bonita ela fica). Deixe esfriar bem, desenforme e sirva com o seu sorvete preferido. Com o de nata fresca fica uma delícia!

# Brigadeiro de colher

## O amigo da TPM

Atire a primeira pedra a mulher que nunca fez uma panela funda de brigadeiro para afogar, em muito chocolate quente, uma dor de alma. Brigadeiro de colher é a melhor receita para quem não quer cozinhar e precisa apenas "se entender". A receita é a mesma do brigadeiro de enrolar, só que generosamente facilitada: não tem ponto. Ou seja, mesmo doendo o corpo ou a alma, nunca dá errado. Aqui valem as suas regras.

## “Não” receita de brigadeiro de colher

• Rende uma panela cheia •

### INGREDIENTES

• 2 latas de leite condensado
• 8 colheres (sopa) de chocolate em pó
• 4 colheres (sopa) de manteiga sem sal

### MODO DE FAZER

Misture todos os ingredientes e leve ao fogo baixo (tudo bem se for médio, para ficar pronto mais rápido; afinal, é remédio...). Detalhe: pode parar de mexer um pouquinho para ouvir aquele consolo da sua melhor amiga ao telefone. Escolha o tom de marrom que você gostar mais. A massa é levinha, não dá trabalho nenhum para mexer. Não precisa olhar o fundo da panela, pois a massa deve ser tirada antes, para ficar bem cremosa. O ponto é aquele em que você sente que precisa comer o doce, pois nessa etapa os ingredientes já estão todos misturados e a massa está quentinha. Não tire da panela. Enrole-a em um pano de prato colorido (a panela está quente, lembra?), escolha a colher mais bonita daquele faqueiro de festa que foi da sua avó, sente-se no sofá e acalme-se. Amanhã, como cantou Chico Buarque, vai ser outro dia...

# Bolinho de chuva com calda de brigadeiro

• Rende 40 bolinhos •

**INGREDIENTES DA CALDA**

• 1 receita de brigadeiro de colher (preparada conforme as instruções da página 51)

**INGREDIENTES DA MASSA**

• 2 ovos caipiras em temperatura ambiente
• 2 colheres (sopa) de açúcar
• 1 xícara (chá) de leite integral
• 1 fava de baunilha
• 2 e ½ xícaras (chá) de farinha de trigo
• 1 pitada de sal
• 1 colher (sopa) de fermento em pó
• Óleo de canola para fritar
• Açúcar de confeiteiro
• Canela em pó

**MODO DE FAZER**

Prepare a calda: faça uma receita de brigadeiro de colher e reserve. Prepare a massa: numa tigela, coloque os ovos, o açúcar e bata bem com um *fuet*. Corte a fava de baunilha no sentido do comprimento e raspe a polpa com a ajuda de uma faca. Junte à mistura de ovo e açúcar e despreze a fava (você pode colocá-la no açucareiro, para aromatizar o açúcar). Acrescente alternadamente à mistura o leite integral e a farinha de trigo, mexendo sempre com uma colher. Coloque uma pitada de sal na massa e, por último, o fermento em pó. Molde os bolinhos com a ajuda de duas colheres (sobremesa). Frite os bolinhos em óleo quente. Com uma escumadeira, retire os bolinhos e coloque-os sobre um prato forrado com papel-toalha para absorver o excesso de óleo. Polvilhe com açúcar de confeiteiro e canela em pó e sirva com a calda de brigadeiro quentinha.

## Chocolate-terapia

*Estudos têm finalmente demonstrado o que nós, chocólatras, temos certeza: o chocolate tem o poder de fazer feliz. Segundo pesquisas, ele contém diversas substâncias que melhoram o humor. Sua alta concentração de magnésio, por exemplo (131 mg por 100 g), garante aquela sensação de euforia que temos depois de devorar uma barra inteira de chocolate. Outros químicos, como a serotonina (3 mg por 100 g) e a tiramina (2 mg por 100 g), que também estão presentes no chocolate, têm efeito calmante e equilibram o humor. Resumindo? É um antidepressivo natural. E o melhor? O mais saboroso.*

Brigadeiro
não é qualquer
docinho, é
**brigadeiro!**

A casa do brigadeiro, desde que ele nasceu, é aquela forminha feita de papel plissado colorido. A embalagem é tão característica que certa vez andei Paris inteira (o berço da *patissière*) atrás de um pacotinho e não encontrei. Era uma degustação da Maria Brigadeiro e eu havia esquecido de levar a bendita. Tive que improvisar com umas forminhas usadas para chocolate. Agora, escrevendo a história, entendo que faz todo o sentido. Se brigadeiro só existe no Brasil, não vai ser muito fácil encontrar sua forminha fora daqui. Hoje, é a primeira coisa que eu ponho na mala.

Contei essa história para dizer que a segunda pergunta que eu mais ouço no ateliê depois de "você já enjoou de brigadeiro?" é: "posso trocar a forminha?". Minha resposta categórica é "não", seguida da seguinte explicação: esse doce já tem sua casa; se trocarmos por um quadradinho de papelão dourado ou uma forma de flor, ainda que da mais pura seda, ele vai perder sua identidade. As pessoas vão comer como qualquer outro doce, sem saber que se trata de um brigadeiro, do nosso brigadeiro. Ah, e respondendo à primeira pergunta: não, eu não enjoei de brigadeiro. Outro dia, com pé quebrado, comi uma panela cheia, feita pelo meu pai, porque eu mal conseguia caminhar até o fogão.

## Brigadeiro no exterior

Brigadeiro não fala inglês, tampouco francês, mas se vira muito bem fora do Brasil. Em 2009, fui convidada para organizar uma degustação de brigadeiros em Paris, na casa de uma amiga brasileira casada com um francês. Entre os convidados, estavam amigos franceses do casal e também os organizadores do Salon du Chocolat, uma das feiras de chocolate mais importantes do mundo, que acontece todo ano em Paris. Ninguém ali havia provado brigadeiro e, para minha surpresa, todos gostaram do doce, especialmente das versões com menos açúcar, como o Noir (70% cacau) e o After-eight (menta com chocolate 70% cacau), mais adequadas ao paladar europeu.

# Peça pelo número

Tem coisas que só se aprende errando. Tamanho de forminha é uma delas. Existem basicamente cinco tamanhos usados para brigadeiro, e a pegadinha é que quanto maior o número, menor a forminha.

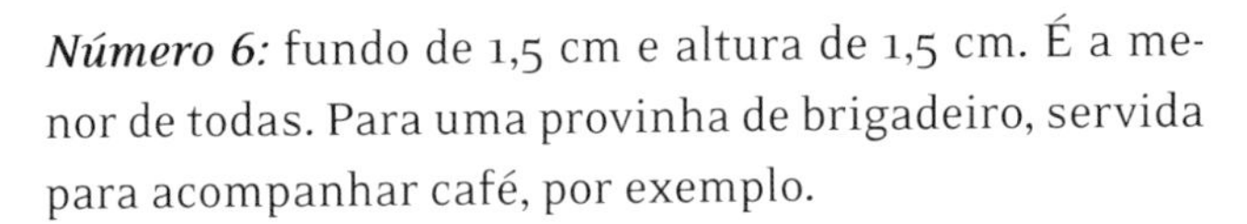

*Número 6:* fundo de 1,5 cm e altura de 1,5 cm. É a menor de todas. Para uma provinha de brigadeiro, servida para acompanhar café, por exemplo.

*Número 5:* fundo de 2 cm e altura de 1,5 cm. Conhecida como “tamanho festa”, essa é a forminha mais usada em festas infantis.

*Número 4:* fundo de 2,5 cm e altura de 2 cm. É a cota de duas mordidas, o que considero ideal para não passar vontade nem exagerar na dose.

*Número 3:* fundo de 3 cm e altura de 2 cm. A mais usada em confeitarias, comporta um brigadeiro grande.

*Número 2:* fundo de 3,5 cm e altura de 2,5 cm. A maior de todas, do brigadeiro gigante, emergencial, que alguém vende no trabalho, para aliviar o estresse daquele relatório que ainda não foi entregue...

# PUDIM DE BRIGADEIRO

· Rende 6 porções ·

**INGREDIENTES**

- 1 lata de leite condensado
- 1 lata de leite integral
- 1 xícara (chá) de chocolate em pó
- 3 ovos caipiras
- Raspas de chocolate para decorar

**MODO DE FAZER**

Bata no liquidificador o leite condensado, o leite integral, o chocolate em pó e os ovos. Despeje a massa na forma untada com manteiga, cubra com papel-alumínio e asse em banho-maria, em forno médio (180 graus), por uma hora e trinta minutos. Deixe esfriar, leve para gelar por pelo menos seis horas, desenforme, decore com raspas de chocolate e sirva em seguida.

DICA MARIA BRIGADEIRO

*Você pode preparar este pudim em forminhas individuais e servir com calda de brigadeiro de colher.*

# Brigadeiro inesquecível fazia
# a sua avó

Brigadeiro bom é o brigadeiro feito em casa. Acredito tanto nisso que na cozinha da Maria Brigadeiro fiz questão de colocar fogões domésticos no lugar dos industriais (para espanto do arquiteto que projetou a obra). E a melhor receita é aquela de família. Isso porque o brigadeiro tem muito mais do que leite condensado, chocolate e manteiga. Ele guarda na boca um sabor de infância, de pessoas queridas em atmosfera de festa. É comida de alma. Técnica ajuda no preparo do doce, mas é principalmente essa porção de lembranças e tradições que garante aquele segredinho que ninguém consegue descobrir qual é.

Meu aniversário de seis anos (os brigadeiros foram feitos por mim...).

# E quando não dá certo?

Às vezes, a receita desanda. Acredite, não é só na sua cozinha... Já joguei tanto brigadeiro fora que o lixeiro deve achar que sou a pior cozinheira do bairro. Não sei de onde vem isso, mas as pessoas têm aquela ideia de que fazer brigadeiro e fritar ovo são as tarefas mais fáceis da cozinha. Sendo assim, usam os dois para provar que fulano não leva o menor jeito na cozinha: "Ah, fulana só sabe fazer brigadeiro. Nem ovo frita". Claro que não frita. Gente, fritar ovo é coisa séria, exige muito treino, caso contrário ele fica com a clara borrachuda, a borda esturricada e a gema crua. Com o brigadeiro é a mesma coisa. Distraiu, lá está ele grudado no fundo da panela, todo empelotado e com gosto de queimado. O que fazer nesse caso? Fritar um ovo?

## Salve-se quem puder!

*Bem, vamos lá, o brigadeiro deu errado. Não se desespere! Talvez seja possível salvá-lo. Saiba aqui como dar os primeiros (e últimos) socorros.*

*Empelotou? Tire-o imediatamente do fogo e bata com força (o que não será difícil no estado de humor em que você vai estar) até que o creme fique lisinho novamente. Ufa! Volte para o fogo e mexa sem parar até dar o ponto.*

*Cristalizou? Se você esquecer de limpar as bordas da panela com a colher durante o preparo, o brigadeiro que se depositar ali vai passar do ponto e formar aqueles caramelos durinhos que grudam no dente, ameaçando botar abaixo todas as obturações. Não há como dar jeito em "cororó" (como chamam os baianos). A recomendação é comer assim mesmo e marcar logo uma consulta ao dentista.*

*Grudou no fundo? Não tente raspar à força com a colher de pau, caso contrário seu brigadeiro terá um único gosto: de queimado. Tire com cuidado o que estiver por cima e mergulhe a panela em água e sabão.*

Dica Maria Brigadeiro

*Peça emprestados os livros de receita das mulheres da família e copie as de brigadeiro. Combine todas elas e crie uma única, de família. Imprima várias cópias e presenteie todas as suas tias no Natal ou na Páscoa - com uma bandeja do doce, claro.*

## Crepe de brigadeiro

• Rende 6 porções •

**INGREDIENTES DA CALDA**

- 3 receitas de brigadeiro de colher (preparadas conforme as instruções da página 51)

**INGREDIENTES DA MASSA**

- 1 ovo caipira
- 1 e ½ xícara (chá) de leite integral
- 2 colheres (sopa) de manteiga
- 1 xícara (chá) de farinha de trigo
- ½ colher (chá) de sal

**MODO DE FAZER**

Prepare as receitas de brigadeiro de colher e reserve. No liquidificador, bata todos os ingredientes da massa: ovo, leite integral, manteiga, farinha de trigo e sal. Unte com manteiga uma frigideira antiaderente e leve-a ao fogo médio. Quando esquentar, coloque nela uma concha de massa fazendo um movimento circular, para que todo o fundo fique coberto. Com uma espátula, levante a pontinha do crepe para ver se está dourado. Quando estiver, vire-o e doure o outro lado. Retire-o da frigideira e coloque-o num prato. Repita essa operação até que a massa acabe. Recheie-o com o brigadeiro quente e sirva em seguida.

A vida é curta.
Comece pela
**sobremesa**

O brigadeiro é o mais democrático dos doces. Ele circula com desenvoltura em qualquer ambiente. Podemos saboreá-lo usando pijama, vestido longo, bebendo Guaraná ou champanhe francês; tudo depende da forma como ele vai à mesa. Se a ideia é servir o doce na versão festa, a apresentação é fundamental. Na Maria Brigadeiro, além de bandejas, costumo servir os brigadeiros em bailarinas, lembra delas? São aqueles pratos de dois ou três andares que iam à mesa de nossas avós, recheados de docinhos incríveis.

Já que os meus brigadeiros tinham um guarda-roupa novo, nada mais justo do que servi-los em um prato bem fino. Nas primeiras festas que fiz, usei meu acervo de louças de família. Mas, com mais de uma recepção por dia para organizar, tive que sair em busca das bailarinas. Descobri que elas só existiam nas lembranças, heranças e brechós. Diante dessa constatação, não tive dúvida: mandei fazer minha própria coleção.

# Brigadeiro em festa...

Muitas pessoas perguntam se é elegante servir brigadeiros em recepções mais formais, como casamentos. Embora não seja muito educado, respondo sempre com duas perguntas: "Brigadeiro faz parte da sua história? Ele é o doce das suas melhores lembranças?". Se a resposta for afirmativa, a minha também será. Elegância vem de autenticidade, não de modas ou manuais. O brigadeiro é um doce de alma, que só pode ser servido se faz você feliz.

# Brigadeiro é sobremesa?

Ele sempre foi servido como docinho de festa, mas pode ser sobremesa, por que não? Um jantar entre amigos ou até uma recepção mais formal podem ser adocicados por suas versões favoritas de brigadeiro. É uma atitude original e certamente renderá mais assunto que o *petit gateau* ou o *crème brûlée*. Outra opção é servir a sua sobremesa clássica e finalizar a refeição com os brigadeiros. Eles ficam uma delícia quando acompanhados de café, licor ou vinho do porto.

Dica Maria Brigadeiro

*Se você quer receber os amigos em casa e não está muito a fim de ir para a cozinha, convide-os somente para a sobremesa. Monte uma mesa só de doces gostosos e sirva cafés, licores e vinhos de colheita tardia.*

# Brigadeiro de menta

· Rende 30 brigadeiros ·

**INGREDIENTES**

- 1 lata de leite condensado
- 4 colheres (sopa) de chocolate em pó ou ½ xícara (chá) de raspas do seu chocolate favorito
- 10 gotas de extrato de menta
- 1 colher (sopa) de manteiga sem sal

**MODO DE FAZER**

Abra a lata de leite condensado e despeje na panela. Acrescente o chocolate em pó (ou as raspas de chocolate) e o extrato de menta. Misture bem, junte a manteiga sem sal e leve ao fogo baixo, mexendo sempre até desgrudar do fundo da panela. Quando estiver no ponto, retire da panela e transfira para um recipiente de louça untado com manteiga. Deixe esfriar, molde as bolinhas, passe-as em raspas de chocolate ao leite ou meio-amargo e acomode-as nas clássicas forminhas de papel plissado.

Dica Maria Brigadeiro

*Para finalizar o jantar com uma frescurinha boa na boca, sirva um minibrigadeiro de menta com um cafezinho passado na hora. Não há quem resista.*

Escolha as louças de que você mais gosta. Elas não precisam necessariamente ser iguais ou do mesmo jogo. Ao contrário, formatos e tamanhos diferentes podem criar um efeito bem interessante.

Arrume cada sabor de brigadeiro em um prato bem bonito, e em cada um deles coloque uma plaquinha de identificação, feita de papelão e escrita à mão, com a sua letra, para que os convidados percebam a delicadeza do gesto.

Os pratos podem ser arrumados na mesa, ou num aparador - o que dá um destaque ainda maior aos doces. Se os pratos forem estampados e de formatos diferentes, nem é necessário usar toalha.

Providencie um bowl que combine com a louça e coloque-o ao lado dos pratos, para o descarte das forminhas vazias. Embalagens amassadas espalhadas pela mesa tiram todo o encanto da decoração.

DICA MARIA BRIGADEIRO

*Flores são sempre bem-vindas, mas prefira as que não têm cheiro, pois os brigadeiros, como os chocolates, absorvem facilmente os odores do ambiente. Se é para ter um brigadeiro de rosas, que seja na panela!*

# Quantos por pessoa?

Tudo depende da duração da festa. Se for um casamento, em que as pessoas chegam a ficar até oito horas dançando baladas como *It's raining men* e *Macarena*, prepare uma boa dose de glicose: pelo menos 10 brigadeiros por convidado, contando que haverá outros docinhos. Caso contrário, considere pelo menos 12. Se for uma recepção mais rápida ou uma festa de criança, que costuma durar de duas a três horas, 8 brigadeiros são suficientes. Já em um jantar, com sobremesa, sugiro pelo menos 5 brigadeiros, um de cada sabor, para ir adoçando a conversa.

# Sorvete de brigadeiro

· Rende 12 porções ·

**INGREDIENTES DO SORVETE**

- 2 latas de leite condensado
- 3 gemas
- 1 xícara (chá) de chocolate em pó
- 300 ml de leite integral

**INGREDIENTES DO CREME**

- 3 claras
- 1 lata de creme de leite sem soro
- 3 colheres (sopa) de açúcar

**INGREDIENTES DA CALDA**

- 1 xícara (chá) de açúcar
- ¼ de xícara (chá) de água
- ¼ xícara (chá) chocolate em pó para polvilhar

**MODO DE FAZER**

Prepare a calda: coloque o açúcar e a água em uma forma para pudim e deixe caramelizar em fogo baixo (o processo leva uns 10 minutos). Quando a calda estiver dourada, apague o fogo e vá girando a forma para cobrir bem as laterais internas. Deixe esfriar e polvilhe o chocolate em pó. Prepare o sorvete: coloque o leite condensado em uma panela, misture as 3 gemas, uma a uma, o chocolate em pó, o leite e leve ao fogo baixo, mexendo sempre até engrossar. Deixe esfriar e reserve. Prepare o creme: bata as 3 claras na batedeira, em ponto de neve, acrescente o açúcar ainda batendo e, finalmente, o creme de leite gelado, sem soro. Despeje o creme obtido sobre a forma com o caramelo, já frio, e em seguida, o sorvete de chocolate. Leve ao freezer por 12 horas. Desenforme sobre um prato de louça e sirva.

**Dica Maria Brigadeiro**

*Para desenformar o sorvete, passe uma faca nas laterais da forma. Se ainda assim não descolar, leve-a rapidamente ao fogo para derreter o caramelo.*

# Doces e bebes

## HARMONIA DE SABORES

Se você acha que brigadeiro só combina com Coca-Cola e Tubaína, dê a ele uma segunda chance. Tudo depende dos ingredientes que vão na panela. Se for um chocolate com boa concentração de cacau e manteiga de qualidade, ele vai ficar menos doce e pode combinar com bebidinhas finas, como vinho do porto e vinhos de sobremesa. A regra da harmonização é simples: o sabor do brigadeiro tem que melhorar com o vinho, e vice-versa. Se há aqui um conselho, ele é o melhor do mundo: provar muitos vinhos e muitos brigadeiros e descobrir, na boca, quem combina com quem. Se você está surpresa com a descoberta de que brigadeiro e vinho podem ser bons amigos, eu confesso que também fiquei. Na minha casa, sempre tive os dois na mesa, lado a lado, mas assumi como uma licença poética deste paladar, mais apaixonado por brigadeiro do que por qualquer sobremesa "harmonizável".

Porém, em uma tarde chuvosa de junho, tive o feliz veredicto: "Brigadeiro e vinho combinam muito". Desta vez, quem disse isso não foi meu estômago, mas um *sommelier*. E para provar sua teoria, Manoel Beato trouxe pelo menos 12 garrafas de ótimos vinhos para uma degustação - de brigadeiros! A cada gole, percebia um sabor novo: uma nota de cacau ou castanha que, sem o vinho, nunca havia percebido. Muitas pessoas dizem que não acreditam em harmonização, que essa é uma questão de gosto pessoal. Depois desse dia, eu passei a acreditar. Como disco voador, que a gente tem que ver um para poder testemunhar.

# Monte sua adega

Os vinhos que mais combinam com brigadeiro (e chocolates em geral) são os vinhos doces naturais ou fortificados.

*Características*
Alto teor alcoólico e textura encorpada, com sabores frutados.

*Principais uvas*
Cabernet franc, cabernet sauvignon, grenache, malvoisie, merlot, moscato, ugni blanc.

*Denominações*
Bannyls, Muscat de Mireval, Porto, Jerez, Madeira.

*Como servir*
Brancos: servir jovens, entre 8 e 12 graus Celsius.
Tintos: depois de 3 ou 5 anos, entre 12 e 15 graus Celsius.

Os franceses mais puristas dizem que só existem no mundo duas coisas que definitivamente não combinam com champanhe: frutas ácidas e... adivinhe? chocolate. Contrariando esses seres de paladar evoluído, sugiro uma subversão: prove champanhe com brigadeiro. Nem que seja no banheiro, com a luz apagada e a porta trancada, como advertiu Danuza Leão sobre o detestável palito de dente em seu livro *Na sala com Danuza*. Com ou sem Danuza, na sala ou no banheiro, vá lá, experimente... Dizem que a sensação de misturar espumantes com chocolate é a de levar centenas de agulhadas na língua. Dá uma coceguinha no céu da boca, é verdade, mas nada que justifique passar de nariz empinado pela bandeja de brigadeiro, rebolando a taça de champanhe francês.

# Outros bebes

*Brigadeiro é um doce facinho, vai bem com todas as bebidas alcoólicas - seja ao lado do prato ou na própria receita. Brigadeiro de rum, por exemplo. Ele já foi um clássico das festas infantis dos anos 1970 e 80. Avós abstêmias faziam várias bandejas dele em aniversários de crianças com muito menos de 18 anos. E, acredite, ninguém ia preso. Isso porque, quando se adiciona qualquer bebida alcoólica na panela que está no fogo, o álcool evapora quase que completamente, deixando apenas o gostinho, sóbrio, dos extratos que compõem a bebida.*

DICA MARIA BRIGADEIRO

*Experimente colocar um pouquinho dessas bebidas na sua receita favorita de brigadeiro, lembrando que elas devem entrar sempre no final, alguns minutos antes de dar o ponto: Conhaque, Arak (aguardente árabe de anis), Saquê, Vinho do porto, Amaretto (licor de amêndoas), Absinto.*

## Sopa de brigadeiro quente com conhaque

· Rende 4 porções ·

**INGREDIENTES**

- 2 receitas de brigadeiro de colher (preparadas conforme as instruções da página 51)
- ½ xícara (chá) de creme de leite fresco
- 2 doses de um bom conhaque envelhecido

**MODO DE FAZER**

Prepare as receitas de brigadeiro de colher. Quando estiver no ponto, acrescente o creme de leite fresco e esquente, sem deixar ferver. Coloque em sopeirinhas individuais, regando cada uma com meia dose do conhaque, e sirva em seguida.

Se você pensa que

**cachaça**

é água...

Brigadeiro pode não combinar tecnicamente com champanhe, mas em compensação fica absolutamente à vontade quando servido com uma boa pinga. Os dois falam a mesma língua e têm em comum o fato de só existirem aqui, no Brasil. Há dois tipos de cachaça: as comerciais, que são produzidas em larga escala, por método industrial, e as de alambique, incomparavelmente mais saborosas, produzidas artesanalmente em Minas Gerais, no Rio de Janeiro e em outras poucas regiões do país. Cada uma tem características próprias, por isso a dica é ir variando os rótulos no bar de casa - que por sinal são ótimos e merecem ficar à mostra.

| ***Pinga ni mim***<br>*Cachacinhas para experimentar com brigadeiro* |
|---|
| Chora na Rampa (Recife, PE) |
| Havana (Salinas, MG) |
| Cristalina do Picão (Martinho Campos, MG) |
| Boazinha (Salinas, MG) |
| Providência (Buenópolis, MG) |
| Quero (Paraty, RJ) |

## *Fondue* DE BRIGADEIRO

· Rende 4 porções ·

**INGREDIENTES**

· 2 receitas de brigadeiro de colher (preparadas conforme as instruções da página 51)
· 1 lata de creme de leite
· 2 colheres (sopa) de cachaça artesanal
· Morango, banana, pera, cereja em calda, damascos secos e *waffles* de chocolate bem crocantes

**MODO DE FAZER**

Prepare o brigadeiro de colher, adicione o creme de leite e a cachaça, transferindo para um *réchaud*. Sirva com os acompanhamentos (um em cada recipiente) e um bom vinho de sobremesa (ver página 82).

## *Cupcake* de brigadeiro

· Rende 20 bolinhos ·

**INGREDIENTES DA COBERTURA**

- 3 receitas de brigadeiro tradicional (preparadas conforme as instruções da página 36)

**INGREDIENTES DA MASSA**

- 1 tablete (200 g) de manteiga
- 2 e ½ xícaras (chá) de açúcar
- 3 ovos
- 1 xícara (chá) de cacau em pó
- 2 xícaras (chá) de farinha de trigo
- 1 colher (sobremesa) de fermento

Dica Maria Brigadeiro

Cupcakes *são lindos, mas o paladar dos trópicos não cai de amores por eles. Para abrasileirar a receita, costumo cobrir o bolinho com uma generosa camada de brigadeiro. A receita da base também é interpretação minha e leva bastante cacau para neutralizar o açúcar da cobertura.*

**MODO DE FAZER**

Prepare a massa: na batedeira, coloque a manteiga em temperatura ambiente e o açúcar. Junte os ovos e continue batendo até formar um creme leve. Adicione o cacau em pó e a farinha de trigo peneirada, e continue batendo em velocidade baixa. Desligue a batedeira, adicione o fermento e misture delicadamente com uma espátula de bolo. Distribua a massa em forminhas para *cupcake* e asse em forno médio (180 graus) por aproximadamente 15 minutos. Teste com um palito para ver se estão assados. Retire-os do forno, deixe esfriar e reserve. Prepare a cobertura: faça o brigadeiro tradicional, coloque-o em um saco de confeitar e cubra os *cupcakes*. Decore com raspas de chocolate ao leite.

Agora é com você! Crie sua

# receita

Para ser chamado de brigadeiro, um doce tem que ter pelo menos três ingredientes: leite condensado, chocolate e manteiga. A partir deles, você pode reinventar a receita como quiser, adicionar castanhas, bebidas, chocolates diferentes, especiarias; enfim, o que a fizer feliz naquele momento. Um dia, passeando pelo bairro da Liberdade, em São Paulo (onde vive a maior colônia de japoneses do Brasil), comi um *sushi* doce e, quando cheguei em casa, me deu vontade de fazer um brigadeiro de *wasabi* (a raiz-forte japonesa). O sabor ficou tão interessante que ele ganhou lugar fixo no cardápio da Maria Brigadeiro. Agora que você já conhece os truques, corra para a cozinha, invente a sua receita e aproveite o melhor do brigadeiro!

## Minha receita de brigadeiro

## Sobre a autora

*Juliana Motter é doceira especializada em brigadeiro. Começou a aprender os segredos da doçaria artesanal com a avó, aos seis anos de idade. Da faculdade de gastronomia e dos cursos de* patissière *que fez pelo mundo, Juliana trouxe a técnica para aprimorar a receita do seu doce favorito: o brigadeiro. Atualmente é* chef-patissière *da Maria Brigadeiro, o primeiro ateliê do Brasil especializado em brigadeiro* gourmet, *com mais de quarenta sabores no cardápio e embalagens exclusivas que transformam o docinho mais popular do Brasil em presente de luxo.*

***Fotos:*** *Acervo da autora: pp. 15 e 62. Alex Silva: pp. 11, 12, 17, 24, 25, 30, 31, 32, 38, 40, 41, 42, 47, 48, 51, 53, 54, 58, 59, 60, 63, 65, 70, 71, 75, 77, 78, 85, 86, 88, 89, 91 e 95. Cacá Bratke: pp. 2, 4, 6, 15, 18, 20, 21, 22, 23, 26, 29, 35, 37, 50, 56, 66, 68, 69, 72 e 82. Manoel Camassa: p. 9. Mauro Holanda: pp. 3, 14, 81 e 94. Reprodução: pp. 83 e 84. Ricardo Toscani: pp. 9 e 16.*